먼작귀

먼가 작고 귀여운 녀석

5

PRESENTED BY

나 가 노

차 례

캐릭터

↰ 가르마

↰ 치이카와

↰ 하늘다람쥐

↰ 토끼

↰ 시사

↰ 해달

포쉐트 갑옷 씨

방만쥬

노동 갑옷 씨

라멘 갑옷 씨

고블린

오네

'뭔가 일상'

아이스바 막대기

무니얌

바지락

치타라

'프리즌'

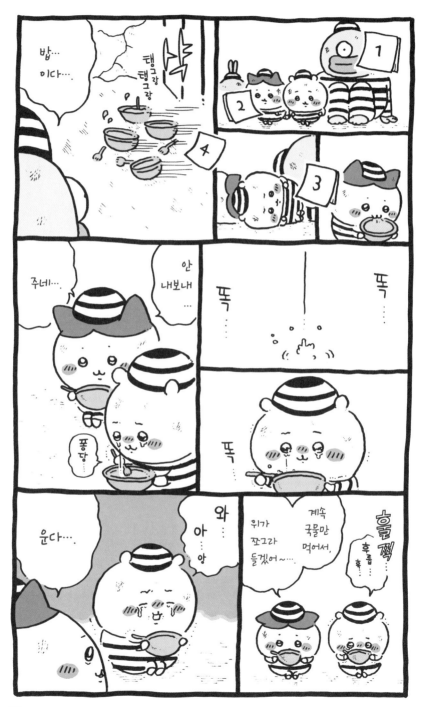

24

25

29

'오데랑'

잡혔다

UNO

식사 타임

옛날이야기

탈옥

'하늘다람쥐와 갑옷 씨'

울어볼까

놀라볼까

쭛쭛쭛

'코스 요리'

코스 요리

전채

메인디쉬

최고의 행복

'무척 일상'

이불을 빨자

무기의 맛

무서운 꿈

빛나는 고리

좋아하는 노래

청운

52

온천

오라

'슬롯머신'

68

71

72

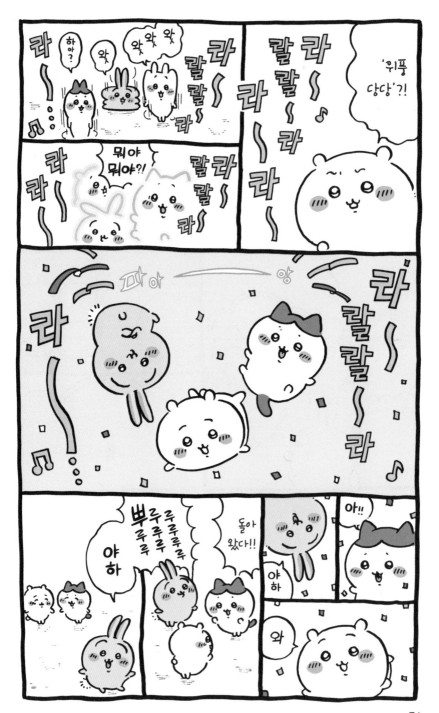

'완전 일상'

팥죽

털

가위바위보

서서 먹는 국수

모닝빵 나무

갓 구운 빵

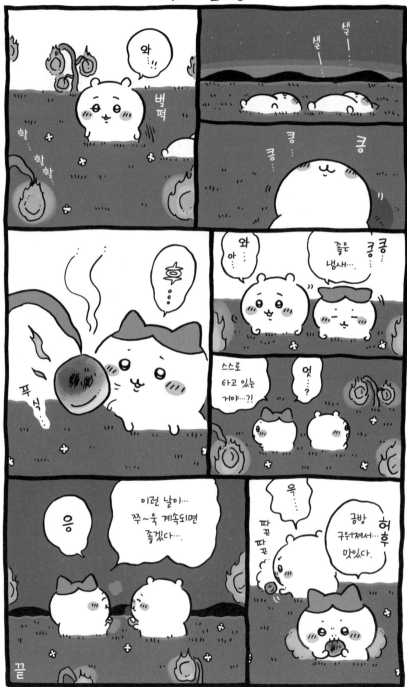

'검은 별똥별 〈전〉'

검은 별똥별

늦잠

시계를 사자

사진을 찍자

가위바위보

망토

겹쳤다

공부하자

자명종 시계

사진을 찍자

가위바위보

데자뷔

예지능력

점술사

'검은 별똥별 〈후〉'

107

115

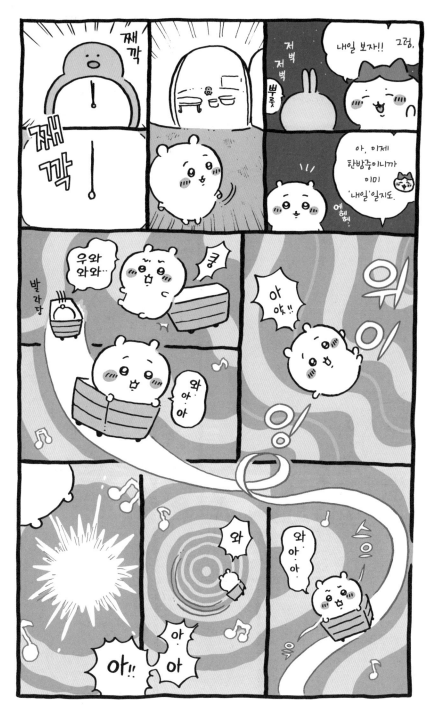

121

'하늘다람쥐는'

토끼한테서
여행 선물로
받은
예쁜 돌.

돌을 보고 있었더니
어째서인지 발길이 저절로
오래된 여관으로….

많이 기대해주세요 !

어딘가 멀리 떠나보고 싶어 이곳저곳.

그 안에는 '큰 방'에서
사람들이 돌을 깎고 있었다!
여기 왠지… 좀 이상해!

먼 작 귀 ⑥

먼가 작고 귀여운 녀석

먼작귀 먼가 작고 귀여운 녀석 5

2024년 2월 23일 초판 인쇄   2024년 2월 29일 초판 발행

저 자_ 나가노

번 역_ 김혜정 **발행인_** 황민호 **콘텐츠1사업본부장_** 이봉석
책임편집_ 윤찬영/장숙희/전송이/조동빈/옥지원/이채연/김정택

발행처_ 대원씨아이(주) **주소_** 서울특별시 용산구 한강대로 15길 9-12
전화_ 2071-2000 **FAX_** 797-1023 **등록번호_** 1992년 5월 11일 등록 제 1992-000026호

ISBN 979-11-7172-379-9 07830   979-11-6894-441-1 세트